Le jeune chanteur de jazz

À Will, qui a toujours voulu que j'écrive ce livre.

Titre original : *A Good Night for Ghosts*

Coordination éditoriale : Céline Potard.
Réalisation de la maquette : Karine Benoit.
Illustration de couverture et illustrations intérieures : Philippe Masson.
Colorisation de la couverture, illustrations de l'arbre, de la cabane
et de l'échelle : Paul Siraudeau.

Loi n° 49-956 du 16 juillet 1949
sur les publications destinées à la jeunesse.
Dépôt légal : novembre 2010 – ISBN 13 : 978-2-7470-3288-9
Imprimé en Allemagne par CPI - Clausen & Bosse

La Cabane Magique

Le jeune chanteur de jazz

Mary Pope Osborne

Traduit et adapté de l'américain
par Marie-Hélène Delval

Illustré par Philippe Masson

bayard jeunesse

Léa

Prénom : Léa

Âge : neuf ans

Domicile : près du bois de Belleville

Caractère : espiègle et curieuse

Signes particuliers : ne manque jamais une occasion d'entraîner son frère Tom dans des aventures mouvementées, sans se soucier du danger.

Prénom : Tom

Âge : onze ans

Domicile : près du bois de Belleville

Caractère : studieux et sérieux

Signes particuliers : aime beaucoup les livres, qui l'aident à se sortir de situations périlleuses.

★

Les trente-six premiers voyages de Tom et Léa

Tom et Léa ont découvert dans le bois de Belleville, perchée en haut d'un chêne, une cabane pleine de livres. C'est une

cabane magique !

Elle appartient à la fée Morgane, une magicienne et une célèbre bibliothécaire qui voyage à travers le temps et l'espace pour rassembler des livres.

Nos deux jeunes héros ont déjà vécu des **aventures extraordinaires** ! Il leur suffit d'ouvrir un livre, de poser le doigt sur une image en souhaitant se trouver à l'endroit représenté, et ils y sont aussitôt transportés !

★

★

Dans le dernier tome,

souviens-toi :

Après sa guérison, Merlin a décidé de faire le bonheur de millions de gens. Il a confié une nouvelle mission à Tom et Léa. Ils sont allés à Vienne en 1762. Au palais de l'impératrice d'Autriche, ils ont rencontré le jeune Mozart. Avec leur flûte enchantée, ils l'ont convaincu de faire aimer sa musique au monde entier.

★

Nouvelle mission
Tom et Léa
partent
à La Nouvelle-Orléans
pour trouver un artiste
de grand talent !

Sauront-ils éviter tous les dangers ?

★ ★ ★ ★ ★ ★

Lis vite
ce nouveau « Cabane Magique »
et aide nos deux héros à mener à bien
la mission que leur a confiée Merlin !

*Prêt à suivre Tom et Léa
dans leurs dangereuses aventures ?*

**Bon
voyage !**

1

En route pour La Nouvelle-Orléans !

Tom rêve qu'il somnole à bord d'un bateau, bercé par le clapotis des vagues.

– Tom !

Le garçon ouvre un œil. Le jour se lève à peine. La pluie tambourine contre les vitres, *tap, tip, tip, tip, tap, tap...*

– Debout, Tom !

Léa est au milieu de la chambre, en bottes et en ciré. Elle chuchote :

– Ils sont revenus.

Tom n'a aucune envie de sortir du lit. Il marmonne :

– Mais non…

– Je te dis que si ! Ils nous attendent !

– Comment tu le sais ?

– Je les ai vus en rêve. Ils portaient leur manteau à capuchon et nous guettaient depuis la fenêtre de la cabane.

– Moi aussi, je rêvais. J'étais sur un bateau et je dormais.

– Mon rêve à moi était *vrai*, insiste la petite fille.

Son frère enfouit son visage dans l'oreiller et ronfle bruyamment.

– Bon, d'accord ! Je pars sans toi. Je vais vivre une aventure géniale pendant que tu te prélasseras, à rêver que tu dors.

– C'est ça ! Amuse-toi bien !

Léa quitte la pièce. Tom reste allongé un moment, écoutant l'averse, au-dehors. Et si sa sœur avait raison ?

Avec un soupir, il repousse la couette. Il s'habille en vitesse, attrape son sac à dos,

descend l'escalier sur la pointe des pieds. Il prend son ciré au portemanteau, ouvre la porte d'entrée.

– Tu es prêt ? fait Léa, qui patientait sous le porche.

Il répond par un grognement et la suit dans l'aube grise, tête baissée sous la pluie. L'air frais achève de le réveiller.

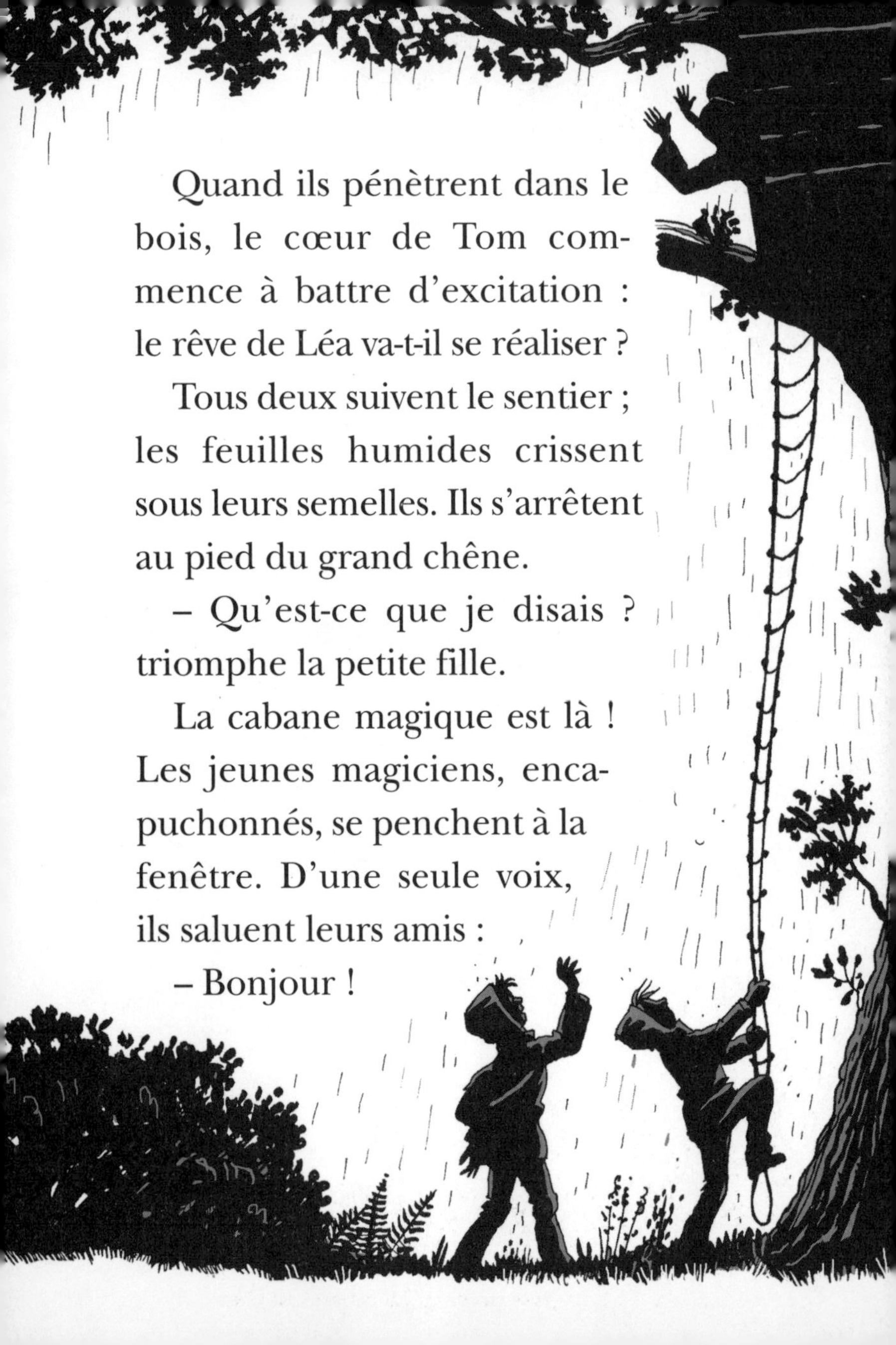

Quand ils pénètrent dans le bois, le cœur de Tom commence à battre d'excitation : le rêve de Léa va-t-il se réaliser ?

Tous deux suivent le sentier ; les feuilles humides crissent sous leurs semelles. Ils s'arrêtent au pied du grand chêne.

– Qu'est-ce que je disais ? triomphe la petite fille.

La cabane magique est là ! Les jeunes magiciens, encapuchonnés, se penchent à la fenêtre. D'une seule voix, ils saluent leurs amis :

– Bonjour !

– Incroyable ! Léa a rêvé de vous ! s'écrie Tom.

Les enfants grimpent à l'échelle de corde. Dans la cabane, tous les quatre s'embrassent.

– On part pour une nouvelle mission ? s'enquiert Tom.

– Eh oui ! s'exclame Teddy. Merlin vous envoie aider un autre grand artiste à faire profiter le monde entier de son talent[1].

– Ceci va vous intéresser ! renchérit Kathleen en remettant un livre à Tom.

1. Lire *La flûte enchantée*, La cabane magique, n° 36.

L'illustration de couverture représente un défilé de musiciens soufflant dans des trompettes et des trombones.

Le titre annonce :

HISTOIRE MUSICALE
DE LA NOUVELLE-ORLÉANS.

– Ça se trouve où, La Nouvelle-Orléans ? demande Léa.

– C'est dans le sud des États-Unis d'Amérique. En Louisiane, précise Kathleen.

– Une ville qui va beaucoup vous plaire ! leur assure Teddy.

– Et voici votre flûte, ajoute la Selkie.

Le bel instrument en argent a tenu un rôle important dans les aventures de Tom

et Léa à Vienne, où ils ont rencontré un petit garçon nommé Wolfgang Amadeus Mozart !

– Seulement, cette fois..., reprend Kathleen.

Elle lance l'objet en l'air. Un éclair bleu illumine la cabane. La flûte tourbillonne et disparaît. À sa place flotte un instrument en cuivre. La Selkie s'en saisit :

– Cette fois, vous emporterez une trompette magique !

– Une trompette ? se réjouit Léa. J'ai toujours eu envie d'apprendre à en jouer !

Kathleen se met à rire :

– Eh bien, tu vas être une trompettiste virtuose sans avoir appris !

– Mais ça ne marchera qu'une fois, lui rappelle Teddy, comme avec la flûte magique. N'utilisez la trompette qu'en cas de danger, car, après, elle redeviendra un instrument ordinaire !

– Pendant que l'un de nous jouera, l'autre devra chanter, se souvient Léa. Et ce que dira la chanson deviendra vrai.

– Exactement !

Tom fronce les sourcils :

– Quels dangers risque-t-on d'affronter, à La Nouvelle-Orléans ?

– Oh, peut-être aucun, le rassure Teddy. Gardez tout de même la trompette à portée de main, au cas où…

– Compris ! dit Léa en prenant l'instrument. On y va ?

Tom la retient d'un geste :

– Attends !

Il a encore une question à poser aux jeunes enchanteurs :

– Quel genre d'artiste va-t-on chercher ?

– Cette fois, je peux vous le révéler, répond la Selkie avec un sourire malicieux. Il s'appelle Louis Armstrong.

– Louis Armstrong ?

Ce nom évoque vaguement quelque chose au garçon.

– On l'a surnommé le Roi du Jazz, ajoute Teddy.

– Seulement, lorsque vous ferez sa connaissance, il ne le saura pas encore, reprend Kathleen. Ce sera à vous de le mettre sur le bon chemin.

– Oui, oui ! s'impatiente Léa. Pour qu'il offre son talent au monde entier ! Bon, on y va ?

Tom pose le doigt sur la couverture du livre et prononce la phrase habituelle :

– Nous souhaitons être transportés ici ! À La Nouvelle-Orléans !

– Pour rencontrer le Roi du Jazz !

Teddy et Kathleen les saluent :

– Bonne chance, les amis !

Le vent s'est déjà mis à souffler, la cabane à tourner.

Elle tourne plus vite, de plus en plus vite.

Puis tout s'arrête, tout se tait.

2

Pas d'argent !

L'air chaud et moite résonne de roulements de charrettes, de claquements de sabots, de cris de marchands ambulants vantant leurs spécialités :

– Tourtes aux langoustines !

– Crème fraîche !

– Soupe de gombos[1] !

Les enfants examinent leur tenue. Ils sont vêtus d'un pantalon noir à bretelles et d'une chemise blanche. Le sac à dos de Tom s'est transformé en besace de grosse toile. Ni l'un ni l'autre n'a de chaussures.

1. Plante potagère tropicale, dont on consomme les feuilles et les fruits.

– On est pieds nus, c'est trop bien ! s'exclame Léa. Et je vais pouvoir courir, avec ce pantalon. Ce sera plus pratique que ma robe à panier, au Palais d'Été de Vienne[2] !

Au souvenir de la perruque poudrée qui l'a tant gêné lors de leur précédente aventure, le garçon se met à rire :

– Moi aussi, je suis content d'être à l'aise ! Mais en quelle année sommes-nous arrivés ?

Ils vont se poster à la fenêtre. La cabane s'est posée en haut d'un palmier.

Non loin de là, des bateaux à vapeur passent sur un large fleuve, agitant l'eau de leur énorme roue.

En contrebas, des boutiques bordent les deux côtés d'une rue animée, où marchent des femmes en longues jupes et des hommes vêtus d'élégants costumes noirs, chapeautés de noir.

2. Lire *La flûte enchantée,* La cabane magique, n° 36.

Des mules tirant des carrioles, des chevaux attelés à des cabriolets côtoient des voitures à moteur comme on en voyait autrefois. Des tramways vert et rouge circulent au milieu de la chaussée.

– On est remontés dans le temps, constate le garçon. De combien exactement ?

– Regardons dans le livre, suggère la petite fille.

– Tu as raison. Voyons si on y parle de Louis Armstrong !

Tom trouve tout de suite le chapitre. Il lit:

Louis Armstrong, né en 1901
à La Nouvelle-Orléans, est devenu
l'un des plus célèbres musiciens de jazz.

Une photo montre un trompettiste soufflant dans son instrument, les joues gonflées, les yeux fermés. Il est éclairé par un projecteur. La légende indique : *Louis Armstrong, le Roi du Jazz.*

Ça laisse Léa perplexe :

– C'est quoi, le jazz ?

– C'est un… style de musique.

– Oui, mais… quel style ?

Tom parcourt le sommaire. Il trouve le bon chapitre et lit :

Le jazz a été créé à La Nouvelle-Orléans
au début des années 1900
par les Noirs américains.
C'est une musique au rythme puissant,
souvent improvisée,
d'une grande force d'émotion.

– Ça donne vraiment envie d'en écouter ! commente Léa. Qu'est-ce qu'on dit encore sur Louis Armstrong ?

Tom tourne les pages. Enfin, il reprend :

Adolescent, Louis Armstrong
jouait avec un orchestre de jeunes,
dans les rues de la ville.
Il s'est fait connaître en se produisant
à bord des bateaux qui naviguaient
sur le Mississippi.

– Arrête ! l'interrompt Léa. C'est bon. On en sait suffisamment.

– Comment ça ?

– On n'a qu'à demander la date à quelqu'un. On calculera quel âge a Louis Armstrong aujourd'hui, et on saura où le chercher : dans la rue, dans une salle de bal ou sur le Mississippi !

La petite fille coince la trompette magique sous son bras et s'engage sur l'échelle de corde.

Tom range le livre dans sa besace avant de suivre sa sœur en marmonnant :

– Oui, c'est une idée...

C'est drôle, de marcher pieds nus en ville ! Les enfants déchiffrent le nom de la rue :

CANAL STREET[1].

Les trottoirs sont encombrés de charrettes poussées par des marchands ambulants qui s'égosillent :

1. En anglais, le mot *street* signifie « rue ».

– Crème fraîche ! Beurre frais !

– Mûres bien mûres !

– Les nouvelles du jour ! crie un petit vendeur de journaux.

– Achetons un journal, décide Tom. On saura quel jour on est.

Ils se précipitent.

– Un journal, s'il te plaît, dit Léa.

– Un penny.

Le frère et la sœur fouillent leurs poches.

– Ah… euh…, bredouille la fillette. On n'a pas d'argent.

– Pas d'argent, pas de journal !

Le gamin s'éloigne déjà. Tom le rattrape :

– Attends ! Peux-tu juste nous indiquer la date ?

– On est le 31 octobre, la veille de la Toussaint. Vous n'êtes pas au courant ?

– Euh... on n'était pas sûrs...

– Le 31 octobre, d'accord, mais de quelle année ? insiste Léa.

– Ben... 1915 ! D'où vous sortez, vous deux ? Qui êtes-vous ?

Avant que Tom ait le temps d'inventer une réponse, sa sœur montre la trompette et bafouille :

– Euh... en fait, on est... des musiciens. On n'est pas d'ici, on arrive de... de loin.

– Ah ? Là d'où vous venez, on n'est pas la même année qu'à La Nouvelle-Orléans ? se moque le vendeur de journaux.

Et il repart en riant de sa plaisanterie.

Tom calcule à voix haute :

– Bon, Louis Armstrong est né en 1901. Si on est en 1915, il a...

– Il a quatorze ans. Donc, il joue dans la rue avec des garçons de son âge.

Léa se dirige vers l'étal du crémier :

– S'il vous plaît, monsieur. Est-ce qu'on pourra entendre des orchestres de jeunes, aujourd'hui ?

– Allez voir du côté de Jackson Square, dans le Quartier français.

– Le Quartier français ? répète Tom, étonné.

– C’est la partie la plus ancienne de la ville, explique l’homme. Prenez le tramway, là-bas ! Il vous y emmènera tout droit.

Les enfants remercient, courent vers l’arrêt du tram et prennent place dans la file des voyageurs.

À peine sont-ils montés dans le véhicule que Tom s'écrie :

– Eh ! On n'a pas un sou sur nous !

Il s'apprête à redescendre lorsque le conducteur l'interpelle :

– Alors, mon gars ? Tu montes ou tu descends ?

– Excusez-nous, on... On n'a pas de quoi payer.

– Pas de problème ! C'est fête, aujourd'hui. La veille de la Toussaint, les transports sont gratuits.

– Oh, super !

Tom et Léa s'assoient sur une banquette de bois, près de la porte. Léa demande au conducteur :

– Pourrez-vous nous signaler quand on arrivera à Jackson Square, s'il vous plaît ?

– Bien sûr.

La petite fille pose la trompette magique sur ses genoux :

– On a beaucoup de chance d'être arrivés ici un jour de fête.

– C'est vrai. Mais qu'est-ce qu'elle a de spécial, la veille de la Toussaint ?

Tom cherche dans le livre et trouve l'explication :

On raconte que la nuit du 31 octobre
est la plus effrayante de l'année.
Car la veille de la Toussaint, appelée
en vieil anglais *All Hallow Even*,
on peut voir des fantômes !

– *All Hallow Even*, répète le garcon. Ça ressemble à Halloween…

– Oui ! Et on est le 31 octobre ! Le jour où on se déguise en monstre, en vampire, en fantôme…

Tom ajoute, un peu inquiet :

– Euh... pourquoi on verrait de *vrais* fantômes ?

Il reprend sa lecture :

La Nouvelle-Orléans est la ville la plus hantée des États-Unis. Dans l'ancienne forge de Bourbon Street erre, dit-on, le fantôme du célèbre pirate Jean Lafitte[1]. La cathédrale Saint-Louis serait hantée par un prêtre espagnol, et un des hôtels de Chartres Street par des soldats. On a, paraît-il, vu des spectres dans beaucoup d'autres endroits.

– Ooooh ! gémit la petite fille. Ce n'est pas très rassurant !

Son frère claque la couverture du livre :

– Bon. On n'est pas venus ici pour faire la chasse aux fantômes. On cherche un certain Louis Armstrong, surnommé le Roi du Jazz !

1. Jean Lafitte, flibustier français né vers 1770 (on ignore la date de sa mort). Il créa son propre royaume, la Barataria, dans les marais près de La Nouvelle-Orléans.

3

Un livreur de charbon

Le tramway s'engage dans une rue particulièrement animée. De la musique se déverse par les portes ouvertes des cafés.

Le conducteur prévient ses deux jeunes passagers :

– On arrive dans le Quartier français. Descendez au prochain arrêt. Ensuite, remontez St Peter Street en direction du Mississippi. Vous trouverez Jackson Square sur votre droite.

– Merci !

Tom jette son sac à dos sur son épaule.

Léa coince la trompette sous son bras. Le véhicule ralentit. Ils descendent.

– Bonne chance, charmante trompettiste ! lance le conducteur à la petite fille.

– C'est gentil ! J'en ai grand besoin !

Tandis que le tramway s'éloigne, les enfants regardent autour d'eux pour se repérer.

– Hé ! s'écrie Léa en désignant une plaque. Bourbon Street ! C'est la rue de la forge hantée !

– Ce n'est pas par là qu'on doit aller, objecte son frère.

Ils suivent donc St Peter Street, une voie bordée de maisons étroites, aux façades peintes en vert, en jaune, en rose. De la vigne grimpe le long des murs et s'enroule au fer forgé des balcons. Des passages mènent à des jardinets où chantent des fontaines.

– C'est joli, ici, apprécie Léa.

– Oui. Et ça sent bon.

En effet, des odeurs alléchantes flottent dans l'air. Près d'une carriole tirée par une mule, une vieille femme clame :

– Achetez mes gaufres ! Belles gaufres dorées !

Tom commence à avoir faim. À l'entrée d'un restaurant, un écriteau annonce :

MENU SPÉCIAL : 10 CENTS.

– Waouh ! s'écrie le garçon étonné. Les choses n'étaient pas chères, en 1915 ! Dommage qu'on n'ait même pas un cent en poche !

– Oui, dommage...

Soudain, Léa pointe le doigt :

– Regarde cette grande église, avec ses hautes flèches ! C'est sûrement la cathédrale où erre le fantôme du prêtre espagnol !

– Pourquoi tu t'intéresses aux fantômes ?

– Moi ? proteste la fillette. C'est toi qui en as parlé le premier, en lisant ce passage du livre !

– Eh bien, moi, je ne m'y intéresse pas du tout ! Je préfère même ne pas y penser.

Les enfants arrivent bientôt devant un jardin entouré d'une grille. Tom désigne un panneau à l'entrée :

JACKSON SQUARE.

– On y est !

Devant la grille, sous le chaud soleil de l'après-midi, une bande de garçons, pieds nus, jouent du banjo, de l'harmonica, soufflent dans des trompettes. D'autres chantent à plusieurs voix. Deux petits présentent des chapeaux aux passants pour récolter quelques pièces.

Léa observe les jeunes musiciens :

– Louis Armstrong n'est pas avec eux. Personne ne lui ressemble, ici.

– Forcément ! Sur le livre, c'est une photo de lui adulte. En ce moment, il a quatorze ans, rappelle-toi, fait remarquer Tom.

– Je vais me renseigner, décide sa sœur.

Elle s'adresse à un des gamins qui font la quête :

– S'il te plaît ! Tu connais un musicien appelé Louis Armstrong ?

– Louis Armstrong ? Ah ! Tu veux dire Dipper ?

– Euh... peut-être.

Le garçonnet interpelle l'un de ses copains chanteurs :

– Hé, P'tit Mac ! Tu sais où est Dipper ?

– Je l'ai aperçu au River Café.

– C'est loin ? demande Tom.

– Non. Suivez cette rue en marchant vers le fleuve, et vous le verrez.

Le gamin tend son chapeau, espérant être payé pour ses informations.

– Je suis vraiment désolé, marmonne Tom. On n'a pas d'argent.

– Mais on te remercie de tout cœur, lui assure Léa.

Et tous deux partent en courant.

– Donc, Dipper, c'est son surnom, suppose la petite fille.

– Oui. Et il travaille comme musicien dans ce café. Tiens, on y est !

Tom désigne une pancarte rouge sur le toit pentu d'un bâtiment bas :

RIVER CAFÉ
Café et beignets.

– Hmmmm… des beignets, fait Léa.

Les enfants pénètrent sous un auvent de toile à rayures rouges et blanches. Des serveurs en veste blanche portent des plateaux chargés de tasses et de pâtisseries aux arômes appétissants qui font saliver Tom.

– C’est bizarre, constate Léa. On n’entend pas de musique…

Elle s’adresse à l’un des garçons :

– Excusez-moi ! Avez-vous vu Louis Armstrong ? Enfin, Dip…

L’homme l’interrompt d’un ton rude :

– Allez, les gosses, dehors ! On ne veut pas de mendiants ici !

– Mais on ne mendie pas ! On cherche seulement quelqu'un…

– Fichez le camp !

Tom tire sa sœur par le bras :

– Viens, Léa. Dipper n'est certainement pas là, de toute façon.

– Une minute ! proteste la fillette en se dégageant. Je ne veux pas qu'on nous prenne pour des mendiants !

– Ça ne vaut pas le coup. Allez, viens !

Et Tom entraîne Léa en lui expliquant :

– C'est à cause de nos vêtements. On n'a même pas de chaussures ! Ça ne fait rien, on va demander à quelqu'un d'autre.

Dans la rue, une carriole pleine de charbon est arrêtée. Un garçon est en train de ranger une pelle et un seau à l'arrière. Lui aussi est pieds nus.

– S'il te plaît, l'interroge Tom. Tu connais Louis Armstrong ? Ou Dipper ?

Le jeune charbonnier se retourne avec un grand sourire :

– Louis Armstrong ? C'est moi !

Tom en reste muet. Il n'a pas réfléchi à ce qu'il dirait quand il trouverait enfin le musicien. Mais sa sœur s'avance :

– Salut, Dipper ! Je m'appelle Léa, et voici mon frère Tom. Des amis nous ont prié de venir te voir ici, à La Nouvelle-Orléans.

– Ah ! Qui ça ?

– Teddy et Kathleen.

Le jeune homme semble perplexe. Puis il remarque la trompette, sous le bras de Léa :

– Hé ! Bel instrument ! Tu en joues ?

– Seulement quand… euh… quand c'est le bon moment.

– Et comment sais-tu que c'est le bon moment ?

– Je… je le sens.

Le sourire de Dipper s'élargit :

– Je comprends parfaitement ce que tu veux dire !

Il s'essuie la paume sur son pantalon :

– Ravi de vous rencontrer ! Les amis de Teddy et de Kathleen sont mes amis !

Tom lui serre la main en bégayant :

– Tu… tu les connais ?

– Jamais entendu parler d'eux ! Mais, pour moi, chaque personne rencontrée est une amie.

Tom et Léa éclatent de rire.

– Bon, reprend Dipper en grimpant sur le siège de son véhicule, je ne peux pas bavarder plus longtemps avec vous. J'ai du charbon à livrer. Passez me voir une autre fois ! Et saluez Teddy et Katlheen !

Il secoue les rênes :

– Hue, Lady ! Hue !

La mule se met en route, la carriole s'éloigne en cahotant sur les pavés.

Louis Armstrong est parti.

4

Un dur métier

Tom reste là, les bras ballants, ne sachant que faire. C'est Léa qui décide :

– Suivons-le ! Il ne faut pas le perdre de vue.

Et elle court derrière l'attelage.

Les pavés de brique de la rue sont chauds sous les pieds nus des enfants.

– Ouille ! grommelle le garçon. Ça brûle ! Si on le rattrape, qu'est-ce qu'on va lui dire ?

– Facile ! On offrira de lui donner un coup de main ! Par la même occasion,

on parlera de musique. Et on le mettra sur le bon chemin pour qu'il devienne le Roi du Jazz !

– Hmmm..., lâche Tom, pas très convaincu.

Mais, comme il n'a rien de mieux à proposer, il presse le pas aux côtés de sa sœur.

Un peu plus loin, la carriole s'arrête près d'une boutique de confiseries.

– Hé ! Dipper ! crie Léa.

Surpris, le jeune homme se retourne.

– Tiens, c'est vous ! Vous êtes accrochés aux roues de ma charrette, ou quoi ? s'écrie-t-il en riant.

– C'est que... On se demandait..., commence Tom.

– ... si on pouvait travailler avec toi, finit sa sœur.

– Avec moi ? À livrer du charbon ?

– C'est ça, enchaîne la petite fille. On s'est dit que ce serait… rigolo.

Dipper éclate de rire :

– Rigolo ? Quelle idée !

– Oui, oui ! On aime bien travailler.

– On adore ça !

Le livreur hausse les épaules, avec un air amusé :

– Après tout, ce n'est pas de refus. J'ai beaucoup de livraisons, aujourd'hui, et il y a d'autres outils à l'arrière de la carriole.

– Super ! se réjouit Léa. Dis-nous seulement ce qu'il faut faire.

– Vous remplissez les seaux de boulets et vous allez les vider dans la réserve.

Il désigne un grand coffre en bois, derrière la boutique.

– Facile !

Léa pose la trompette sur le trottoir. Tom laisse tomber sa besace à côté.

Dipper leur tend à chacun une pelle et un seau, et tous trois commencent à pelleter le charbon.

Dipper travaille vite, en sifflotant. Les enfants, eux, ont du mal à manier les lourdes pelles. Ils finissent par attraper le charbon à pleines mains pour en remplir leurs seaux. Le soleil leur tape sur le dos. Ils sont bientôt en sueur et couverts d'une poussière noire.

« C'est trop dur, ce boulot ! » pense Tom, essoufflé.

La constante bonne humeur de leur compagnon l'étonne.

Léa, elle, ne perd pas leur but de vue :

– Et toi, Dipper, tu aimes la musique ?

La réponse est couverte par le fracas du charbon dégringolant dans le coffre.

– Quoi ? fait Tom.

Dipper répète ce qu'il a dit. Pas de chance ! Un cabriolet passe à grand bruit.

irresistible sweets
CANDIES
fine Chocolates
105
HOME MADE
TAFFIES

« On n'arrivera jamais à discuter en travaillant », comprend Tom.

D'ailleurs, il a tellement chaud qu'il a du mal à réfléchir.

Tout en remplissant de nouveau son seau, Dipper se met à chanter :

Livreur de charbon, c'est un dur métier,
ça vous noircit les idées !

C'est exactement ce que Tom ressent ! Sauf que Dipper, lui, n'a pas du tout l'air d'avoir les idées noires ! Il chante d'une belle voix un peu rauque, sur un rythme allègre.

– Dipper ! Dipper !

Trois garçons surgissent. Léa les reconnaît : ce sont les jeunes chanteurs qu'ils ont vus devant Jackson Square.

– Cesse le travail plus tôt, ce soir, Dipper ! lance l'un d'eux. On est embauchés pour la parade !

– Désolé, P'tit Mac ! Je ne pourrai pas.

Le surnommé P'tit Mac n'est pas particulièrement petit. C'est même un costaud.

– Il faut que tu viennes, insiste un autre.

– J'ai trop de boulot, Happy.

– Oooooh, Dipper ! se lamente le dénommé Happy.

– Allez, Dipper ! supplie le troisième.

– Impossible, Gros Nez !

De l'avis de Tom, le nez du garçon est d'une taille tout à fait normale.

– Vous chanterez très bien sans moi, leur assure Dipper.

– Mais…, commence Gros Nez.

– Écoutez, reprend le charbonnier. J'ai livré cinq chargements de boulets dans la journée. On me paye quinze cents la livraison. J'aurai soixante-quinze cents à rapporter à la maison ce soir. Combien avez-vous gagné dans la rue, aujourd'hui ? Et combien gagnerez-vous à la parade ?

Ses trois copains restent silencieux. Ils ne gagneront pas autant, c'est sûr !

– J'ai un bon boulot, maintenant, reprend Dipper. Vous n'avez pas besoin de moi. Pas la peine d'insister, je ne viendrai pas. Profitez de la fête, amusez-vous !

Après un instant d'hésitation, P'tit Mac lâche, dépité :

– Venez, les gars. Depuis qu'il est sorti de la maison de correction, c'est un vrai bébé à sa maman…

« La maison de correction ? », s'interroge Tom.

Dipper regarde les trois garçons s'éloigner.

Puis il explique à Tom et à Léa :

– P'tit Mac, Happy et Gros Nez sont de vieux copains. On a formé un quartet et on chante ensemble.

Léa dit doucement :

– Tu ne peux vraiment pas partir plus tôt ce soir et accompagner tes amis ?

Dipper secoue la tête :

– Non. Il faut que je travaille.

Et il se remet à pelleter le charbon.

Tom voudrait en savoir davantage sur la maison de correction, mais leur nouvel ami ne semble pas avoir envie de parler. Il a même cessé de chanter.

« S'il ne participe pas à cette parade, pense Tom, il ne deviendra peut-être jamais le Roi du Jazz… »

Heureusement, Léa rompt le silence :

– Dipper, alors c'est toi qui fais vivre ta famille ? Tu es bien jeune pour avoir une telle responsabilité !

– Pas si jeune que ça. J'ai quatorze ans. Maman, Lucy, Mayann et Clarence, le bébé, comptent sur moi. Je les aime beaucoup.

– Je comprends, intervient Tom. Mais tu as tant à offrir au *monde* !

Le charbonnier éclate de rire :

– Je n'ai déjà rien à donner à ma mule ! Qu'est-ce que je pourrais offrir au monde ?

– Et ton talent de musicien ?

– Oh, bonne idée ! Je chanterai une chanson à ma brave Lady pour son anniversaire !

Dipper jette la pelle sur la carriole. Il fouille dans sa poche et en tire des pièces de monnaie :

– Tenez ! Au cas où on ne se reverrait pas, voilà pour votre aide : cinq cents chacun !

– Non, refuse Léa. Garde ton argent, tu le donneras à ta famille !

– Vous m'avez aidé. Vous le méritez.

– On n'a pas été très efficaces, reconnaît Tom. C'est toi qui as transporté presque tous les seaux.

– Et on était contents d'être avec toi ! ajoute Léa.

– Ma parole, s'esclaffe Dipper, vous êtes un peu fêlés !

Tom et Léa éclatent de rire, et leur nouvel ami grimpe lestement dans la carriole :

– Alors, au revoir ! Merci mille fois !

Au moment de partir, il propose :

– Lady et moi, on peut vous conduire jusqu'au dépôt de charbon, si c'est votre chemin.

– Oh oui ! s'empressent d'accepter les enfants.

– Alors, montez !

Léa ramasse la trompette, Tom attrape son sac, et ils s'assoient sur le siège, près du conducteur.

Tom transpire toujours autant, il a mal au dos et des courbatures plein les bras. Pourtant, il se sent merveilleusement bien.

– Hue, Lady !

La mule s'ébranle, tirant le véhicule cahotant le long du Mississippi. Et Dipper se remet à chanter :

Livreur de charbon, c'est un dur métier,
ça vous noircit les idées !

5

Trotte, la mule !

Un vent chaud s'est levé, il pousse de gros nuages dans le ciel. Dipper tend l'oreille :

– Écoutez ! La parade va passer par ici.

Tom entend une musique de fanfare qui se rapproche. Léa demande :

– On fête Halloween, c'est ça ?

– Oh, ici, tous les prétextes sont bons pour organiser des défilés !

Dipper tire sur les rênes ; la carriole s'arrête.

Bientôt apparaissent des cavaliers costumés coiffés de chapeaux de cow-boys.

Autour d'eux, des gens marchent en dansant, déguisés en clowns, en reines, en fées, en vampires, en squelettes.

Léa dit à leur compagnon :

– On a lu dans un livre que La Nouvelle-Orléans était la ville la plus hantée des États-Unis. Il y a des fantômes, paraît-il, à la cathédrale, dans une ancienne forge, dans un hôtel…

– Oui, et dans beaucoup d'autres endroits. Mais je n'ai pas peur des fantômes. Je n'ai peur de rien, d'ailleurs !

– Moi non plus, affirme la petite fille.

– Moi non plus, déclare Tom à son tour, bien qu'il n'en soit pas si sûr.

Une fanfare défile derrière la foule costumée. Des musiciens jouent de la trompette, du tuba, du trombone ; d'autres tapent sur des tambours. Leurs accents entraînants emplissent la rue. Tom et Léa marquent la mesure du pied, ils ne peuvent pas s'en empêcher.

– Hé, Dipper, s'écrie soudain Léa. Voilà tes copains !

P'tit Mac, Happy et Gros Nez marchent avec la fanfare, chantant à pleins poumons.

– Ils ont l'air heureux, hein, Tom ?

Ford

– Oui, très heureux ! approuve le garçon. La musique, c'est... c'est formidable ! J'aimerais tellement être musicien ! Tu as de la chance, Dipper !

La fillette renchérit avec enthousiasme :

– Une grande chance ! Quand on est doué pour la musique, on donne de la joie au monde entier !

Dipper rit en se frappant la tempe :

– Pas de doute, vous êtes fêlés !

Il secoue les rênes :

– Hue, Lady ! Trouve le bon chemin !

« Curieux qu'il dise ça », pense Tom.

Leur mission n'est-elle pas de mettre ce jeune musicien « sur le bon chemin », afin qu'il devienne le Roi du Jazz ?

Tandis que la mule trotte le long du Mississippi, Dipper se met à fredonner :

Talila tadida !
Tarlita-ti-tata !

– Elle est vraiment chouette, ta chanson, apprécie Tom.

– Oh ! ce n'est pas une chanson. Juste un petit air improvisé. Si on y met du sentiment, pas besoin de paroles, tout le monde comprend !

Tom hoche la tête :

– Et c'est de la vraie musique !

– Bien sûr ! Pour créer de la musique, il suffit d'être attentif aux bruits du monde : des cloches qui sonnent, une femme qui lave son linge en chantonnant, un chiffonnier qui souffle dans sa trompe, des camelots vantant leurs marchandises. Tout à fait comme celui-ci, écoutez !

Dipper désigne un homme, près d'une charrette, qui annonce :

– Tartes à la patate douce ! Tartes au citron ! Goûtez mes tartes !

– Quelle voix profonde… Plus belle que celle d'un instrument ! Et celle-ci !

Il montre une femme qui arpente le trottoir en modulant :

– Groseilles ! Framboises ! Mûûûûres !

– Je vois ce que tu veux dire, approuve Léa. La musique est partout.

– Exactement ! Même les sabots de Lady sont musicaux.

Tom prête l'oreille aux *clippeti-clop* de la mule sur les pavés. C'est vrai ! Quel joli rythme !

Tous trois se taisent, écoutant les harmonies de la rue.

Enfin, Dipper tire sur les rênes.

– On est arrivés, annonce-t-il. Je laisse Lady ici jusqu'à demain. Les charbonniers vont s'occuper d'elle.

Ils sautent à terre. Le jeune livreur caresse les naseaux de la bête :

– Tu nous as joliment accompagnés, ma belle !

Il se tourne vers ses compagnons :

– Je dois vous quitter, à présent. J'ai été content de vous connaître.

– C'est que... euh..., bredouille Tom, cherchant désespérément une bonne raison de rester auprès de Dipper.

Celui-ci s'adresse à Léa :

– J'espère t'entendre jouer de la trompette, un jour. Au revoir ! Saluez Teddy et Kathleen de ma part !

Il s'éloigne déjà à grands pas.

– Mais... Mais... Attends ! appelle Tom.

– Désolé, je suis en retard ! Merci encore pour votre aide !

Il agite la main et continue sa route.

Tom et sa sœur échangent un regard paniqué. Il ne faut pas le laisser partir !

Ils s'élancent en criant :

– Dipper ! Attends-nous !

Dès qu'ils l'ont rattrapé, Tom demande :

– Où vas-tu, maintenant ?

– J'ai un autre boulot. Je décharge des bananes.

Du tac au tac, Léa déclare :

– Ça tombe très bien ! Décharger des bananes, on adore !

– Absolument ! affirme Tom.

Dipper les dévisage, perplexe :

– Hein ? Décharger des bananes, ça vous amuse ?

Tom ouvre la bouche, mais ne trouve rien à répondre. Heureusement, Léa enchaîne :

– Ce qu'on aime surtout, c'est travailler avec toi. Quand tu chantes, tu rends tout joyeux.

– Oui, tu es un merveilleux chanteur, ajoute le garçon. Tu as un don.

Dipper se frappe la tempe en riant :

– J'ai dit que vous étiez fêlés. C'est pire, vous êtes complètement timbrés ! D'accord, venez !

Tous trois se dirigent vers les entrepôts, sur la rive du fleuve. Une cinquantaine de dockers sont déjà au travail. Ils transportent à terre une cargaison arrivée par bateau.

Dipper va se présenter à un contremaître. Il lui désigne ses jeunes compagnons. L'homme approuve de la tête.

D'un geste de la main, Dipper invite Tom et Léa à le rejoindre, puis il les conduit à bord du bananier. Dans la cale, il balance sur son épaule un régime de bananes presque aussi gros que Léa !

– Faites comme moi, dit-il.

– On ne pourra jamais soulever ça..., murmure Tom.

– Essayons quand même, propose sa sœur.

La fillette cache sa trompette derrière une caisse. Tom laisse son sac au même endroit. Ils empoignent chacun une énorme grappe jaune et emboîtent le pas à leur ami. Ils marchent en titubant.

Comme lui, ils déposent les fruits sur un comptoir, face à une rangée d'inspecteurs qui vérifient leur qualité. Ensuite, ils se dépêchent de retourner au bateau.

Peu à peu, le soleil descend dans le ciel. Tom, Léa et Dipper continuent leurs allers et retours entre la cale et les inspecteurs. Ils transportent des bananes jusqu'à la nuit tombée. Tom est si épuisé que tout danse devant ses yeux.

– On a terminé ! annonce enfin Dipper.

« Ouf ! », pense le garçon.

Soudain, un gros rat jaillit de la cale. Dipper pousse un cri, lâche son chargement et s'enfuit en courant.

Léa attrape sa trompette, Tom son sac, et ils se précipitent derrière leur ami.

Toujours courant, la petite troupe franchit la passerelle du bateau avant de traverser le quai.

Quand Dipper s'arrête, Tom lui rentre dedans, emporté par son élan. Léa se cogne contre son frère, et tous trois s'écroulent par terre en riant comme des fous. Ils rient si fort qu'ils en pleurent.

Une fois calmé, Dipper reprend son souffle et reconnaît :

– Je sais, j'ai prétendu que je n'avais peur de rien. Ce n'est pas tout à fait vrai. Je déteste les rats. Apercevoir la queue d'une de ces bestioles, ça me terrifie.

Léa hoche la tête. Elle comprend parfaitement ce qu'il ressent :

– Moi, si je vois une araignée, je hurle !

– Et moi, avoue Tom, j'ai très peur des fantômes…

– Donc, conclut Dipper, on est de belles poules mouillées !

De nouveau, ils explosent de rire.

Ils sont bien, là, assis au coin d'une rue, tandis que la nuit descend sur le fleuve.

Enfin, Dipper va chercher sa paye. Tom et Léa l'attendent sans bouger.

– On va être obligés de le laisser partir, maintenant, se désole la petite fille.

– Oui. Et on n'a même pas rempli notre mission…

À cet instant, un marchand ambulant passe en annonçant :

– Parapluies ! Achetez un parapluie ! La tempête approche ! La tempête d'Halloween !

– Une tempête ? Il ne manquait plus que ça ! grommelle Tom.

Dipper ne tarde pas à revenir :

– Trente cents ! clame-t-il. Dix chacun.

– Non, non, refuse Léa. C'est pour toi, pour ta famille.

– Oui, oui, insiste Tom. Garde tout !

Leur ami les regarde, interloqué :

– Vraiment ? Pourquoi ?

– Pour rien, répond la petite fille. On est juste un peu fêlés, rappelle-toi !

– En ce cas, les fêlés, venez avec moi ! À mon tour de vous offrir quelque chose !

– Super !

Tom saute sur ses pieds, ravi à l'idée de ne pas quitter Dipper si tôt.

Il leur reste encore une chance de remplir leur mission !

6

Encore du travail

Les réverbères se sont allumés. Tom et Léa se dirigent vers Jackson Square avec Dipper. Des marchands poussent leurs carrioles en clamant :

– Crème glacée ! Tartes au citron ! Tourtes au jambon !

– Hmmm, fait Léa. Ça donne faim.

– La cuisine de La Nouvelle-Orléans est réputée, affirme Dipper.

Sur le seuil des cafés et des restaurants, des gens bavardent en riant. Dans les salles, des orchestres jouent.

Une vendeuse de glaces reconnaît le jeune homme.

– Bonjour Dipper ! s'écrie-t-elle. Chante-nous quelque chose !

Il la salue de la main sans s'arrêter. Un marchand de légumes interpelle Léa :

– Et toi ? Tu nous joues un air de trompette ?

– Je jouerai quand viendra le bon moment, réplique la fillette.

– Ah ? Et alors, il viendra bientôt ?

– Quand elle le sentira ! intervient Dipper.

Au coin de la rue, sous un réverbère, un trio interprète une chanson. Ce sont P'tit Mac, Happy et Groz Nez.

– Tiens, voilà tes amis ! dit Léa.

Mais Dipper les ignore et traverse la rue. Il conduit les enfants le long d'une ruelle sombre, jusqu'à la porte arrière d'une masure toute branlante d'où sortent des odeurs appétissantes.

– Attendez-moi devant cette gargote, dit-il, avant de se faufiler à l'intérieur.

– C'est quoi, une gargote ? demande Léa.

– Un restaurant pas cher, répond Tom.

Et ils s'assoient tous les deux sur les marches.

La nuit est chaude, l'air orageux. Tom essuie son front en sueur. Il a mal aux pieds et l'estomac dans les talons.

Ouvrant la porte d'un coup de genou, Dipper ressort, une casserole dans une main et un grand verre dans l'autre.

Il s'assoit entre ses amis et tire trois cuillères de sa poche.

– Goûtez-moi ça ! dit-il.

Le plat est épicé. Dedans, il y a du poulet, du jambon, des saucisses, des tomates, des poivrons et des oignons, mélangés à du riz et parfumés au gombo.

Quand la casserole est vide, ils partagent le verre de limonade. Puis ils s'accoudent aux marches avec un soupir repu.

– Hmmm, c'était délicieux !

– Oui, un régal !

– Rien ne vaut un bon gombo après une rude journée de travail ! conclut Dipper.

Sautant sur ses pieds, il annonce :

– À présent, je dois vous laisser. Vous remercierez Kathleen et Teddy, ils ont eu une bonne idée en vous envoyant ici !

Avant que les enfants aient le temps de réagir, leur compagnon disparaît dans l'obscurité.

– Dipper ! crie Léa.

Pas de réponse.

– Il est parti…

– Oui, et on a échoué dans notre mission, se désole Tom.

– Lève-toi ! Il faut le rattraper !

– Hé ! Tu oublies la trompette !

Le garçon ramasse l'instrument, son sac, et se met à courir.

La ruelle est si sombre qu'il ne voit même plus sa sœur. Le tonnerre roule au loin. L'air est moite.

La tempête prévue approche.

– Léa ! Attends-moi !

– Je suis là ! Viens voir !

Lorsque Tom la rejoint, il s'aperçoit qu'ils sont devant la façade de la gargote. Sur le côté, une fenêtre ouverte donne dans une cuisine. Dipper, debout face à un évier, s'attaque à une montagne de vaisselle sale.

En découvrant ses deux amis, il sourit, l'air embarrassé :

– Ah, vous m'avez retrouvé ?

– Pourquoi tu fais ça ? demande la petite fille, ébahie.

Le jeune homme hausse les épaules.

– Il faut bien payer le dîner.

– On va t'aider ! affirme Léa sans hésiter.

– On adore laver la vaisselle ! ajoute Tom.

Dipper éclate de rire :

– D'accord, les fêlés ! C'est pas de refus !

Tom et Léa pénètrent dans la cuisine. Le garçon dépose la trompette et son sac dans un coin. Puis sa sœur et lui s'emparent des assiettes empilées sur un comptoir. Ils les grattent pour jeter les déchets dans la poubelle : arêtes de poissons, carapaces de crabes et os de poulets…

Ce n'est pas un travail très ragoûtant ! Les enfants s'activent cependant de leur mieux, trop contents de rester auprès de Dipper.

Au bout d'un moment, Léa constate :

– Tu as une vie difficile. Pourtant tu as toujours l'air de bonne humeur.

– C'est plus gai que d'être de mauvaise humeur !

– Tu ne te sens pas découragé, parfois ? intervient Tom.

– Si, comme tout le monde ! Mais une vie dure est aussi une vie riche. J'aime ça, je *ressens* beaucoup de choses.

Léa hoche la tête :

– Oui, je comprends...

– J'en suis sûr. Et je pense t'entendre bientôt jouer de la trompette !

Le temps qu'ils finissent la vaisselle, la pluie s'est mise à tomber.

– Où va-t-on, maintenant ? demande Tom.

– On a bien mérité un bon petit dessert, s'exclame Dipper. Venez ! On retourne au River Café !

Tom le retient par le bras :

– Euh… c'est une mauvaise idée. On ne nous aime pas beaucoup, là-bas.

– Il n'y aura pas de problème si vous êtes avec moi !

Ils sortent sous l'averse. Le vent s'est levé. Dipper remonte Bourbon Street en direction du fleuve :

– Voilà la tempête ! Elles sont violentes, ici. Dépêchons-nous !

Le tonnerre gronde, la pluie redouble. Les rues se sont vidées d'un coup. Passants, marchands, musiciens, tous ont disparu. Les restaurants et les cafés ont rentré leurs tables et leurs chaises. Des éclairs illuminent le ciel, le vent hurle, emportant des feuilles, des branches, des journaux.

– Mettons-nous à l'abri ! crie Dipper.

Ils foncent, têtes baissées sous le déluge. Soudain, quelqu'un appelle :

– Dipper ! Par ici !

Ils reconnaissent la voix de P'tit Mac.

Les trois jeunes chanteurs leur font signe depuis un bâtiment sombre, au coin de la rue.

– Entrez vite, avant d'être frappés par la foudre ! les presse P'tit Mac.

– Merci, les gars ! halète Dipper.

Trempés jusqu'aux os, les six compagnons se serrent dans l'entrée, tandis que l'orage se déchaîne.

– Qui habite ici ? demande Dipper.

– Personne, répond Happy. C'est vide depuis des années.

– C'était une forge, autrefois, ajoute Gros Nez.

– La… la forge du pirate Jean Lafitte ? bredouille Tom.

Aussitôt, il recule et reste à l'extérieur, sous les trombes d'eau.

– Alors, Tom, qu'est-ce qui te prend ? s'étonne P'tit Mac.

Bourbo

– On a lu dans un livre que cet endroit est hanté, explique Léa.

– Et vous croyez aux fantômes ?

– Non, non, pas vraiment…

Tom ne veut pas avoir l'air idiot devant les amis de Dipper.

Un éclair déchire le ciel, le tonnerre éclate. Le vent souffle si fort que des tuiles arrachées aux toits s'écrasent dans la rue.

– Rentre, Tom ! intervient Dipper. Il vaut mieux fermer la porte.

– Minute, l'interrompt P'tit Mac. Nous, on s'en va.

– On s'en va ? répète Gros Nez.

P'tit Mac se penche et lui chuchote quelque chose à l'oreille.

– Ah, c'est vrai !

Le surnommé Gros Nez lève la main :

– Salut ! On se reverra plus tard.

– Vous avez peur du fantôme, hein ? se moque Dipper.

– Pas du tout ! On a rendez-vous pour un concert, déclare Happy.

– Un concert ?

– Oui. Et on risque d'être en retard à cause de l'orage. Salut, les gars ! lance P'tit Mac.

Les trois musiciens quittent la forge en courant et disparaissent au coin de la rue. Leur fuite amuse Dipper :

– Quelle bande de poules mouillées !

– Pour être mouillés, ils sont mouillés... plaisante Léa.

Un violent coup de tonnerre secoue le bâtiment. Les rafales emportent de nouvelles volées de tuiles.

– Ne reste pas dehors, Tom, insiste Dipper. C'est dangereux.

Prenant une profonde inspiration, le garçon pénètre dans la forge hantée.

7

La magie de la trompette

Dipper referme la porte derrière Tom.

À l'intérieur, on n'y voit rien. Dehors, le vent hurle ; les volets déglingués claquent contre le mur. Un courant d'air humide circule dans la pièce.

– Il fait noir, ici, murmure Léa. Et froid.

– Moi, ça me donne la chair de poule, marmonne son frère.

– Ouais, acquiesce Dipper. J'ai changé d'avis. Sortons. On trouvera un autre abri.

– D'accord ! approuvent les enfants d'une seule voix.

Dans l'obscurité, Tom entend Dipper secouer la poignée, puis grommeler :

– Oh, oh…

– Oh, oh, quoi ? s'inquiète le garçon.

– Je n'arrive pas à ouvrir la porte… Elle est bloquée.

Tom sent un frisson glacé lui courir le long du dos. Et ces volets qui n'arrêtent pas de claquer !

– Attendez un peu, reprend Dipper. J'ai des allumettes dans ma poche. J'espère qu'elles ne sont pas trop mouillées…

Tom perçoit clairement le petit bruit sec de l'allumette que son ami gratte. Une fois, deux fois, trois fois…

Enfin, une mince flamme s'élève :

– Ouf ! souffle Léa.

Son frère scrute l'endroit du regard. La faible lumière révèle des seaux de bois, deux chaises cassées, une autre porte, au fond, et…

Flap, flap ! une chauve-souris affolée volette en tous sens et se cogne au plafond.

– Aaaaah ! crient-ils en baissant la tête.

L'allumette s'éteint.

Dipper se dépêche d'en gratter une deuxième. La chauve-souris a disparu.

Tom découvre une vaste cheminée de brique. Des lanternes rouillées sont alignées sur le dessus. Tout est recouvert d'épaisses toiles d'araignées.

La deuxième allumette s'éteint. Dans l'obscurité, une petite voix supplie :

– De la lumière, Dipper, s'il te plaît... !

Léa n'a peur d'aucun animal, sauf des araignées !

– Pas de panique, la rassure le jeune homme. Il m'en reste deux.

– Deux seulement ?

Tom suggère :

– Il y a des lanternes, sur la cheminée. On pourrait en allumer une.

– Bonne idée ! Il y a peut-être de l'huile dedans. J'espère que la mèche marche encore. Sinon, on sera coincés dans le noir avec les chauves-souris.

– Et les araignées..., gémit Léa.

« Et le fantôme... », pense Tom.

Dipper gratte l'avant-dernière allumette. À sa lueur, il s'approche de la cheminée, prend une lanterne, la pose sur le sol.

L'allumette s'éteint.

– Je n'en ai plus qu'une…

Dipper s'agenouille afin de gratter la dernière allumette. Tom ôte le verre de la lanterne. Très lentement, Dipper enflamme la mèche. Ça crachote, ça vacille. Puis la flamme monte, toute droite.

Après avoir remis le verre en place, Tom élève doucement le lumignon.

Une clarté jaune emplit alors la pièce, dessinant de grandes ombres sur les murs.

Soudain, un craquement retentit, suivi d'un crissement. On dirait une porte tournant sur des gonds rouillés :

Criiiiiiiiiii !

Le cœur de Tom bat à toute vitesse.

– Qui est là ? lance Dipper.

Pas de réponse. Mais des pas lourds résonnent sur des marches. Quelqu'un est en train de descendre de l'étage ! Tom retient son souffle.

– Qui est là ? répète Dipper.

Les volets, dehors, continuent de claquer. Le vent hurle.

Alors, une longue plainte retentit :

Wou hou, hou, hou, hou !

La main de Tom tremble tellement fort que la lanterne cliquette ; les ombres, sur le mur, entament une danse grotesque.

L'affreux gémissement reprend :

Wou hou, hou, hou, hou !

– Léa ! s'écrie Tom. La trompette ! Souffle dedans, c'est le moment !

– Oui. C'est le moment, je le sens. Je joue ; toi, tu chantes !

Elle porte l'instrument à sa bouche et souffle. Un son très pur emplit la pièce. Tom se dépêche d'improviser :

Fantôme, fantôme,
Cesse de pleurer
Dans cette lumière jaune !

« Quelle chanson idiote ! », pense-t-il. Mais ce sont les seuls mots qu'il a trouvés. Puis il se rappelle une phrase de Dipper : « Si on y met du sentiment, pas besoin de paroles, tout le monde comprend ! »

Aussitôt, il se met à fredonner des sons qui ne veulent rien dire. Il le fait de tout son cœur, pour consoler le fantôme et le prier de s'en aller :

Tabedi boudou bam bam !
Talidou bidou pom pom !
S'il te plaît, va-t'en maintenant !

Un fracas retentit alors dans la pièce du fond, comme si de lourds objets rebondissaient sur le sol. Tom arrête de chanter, Léa de jouer.

– Qui est là ? lance de nouveau Dipper.

Tom recule lentement. Quelque chose d'affreux va arriver, il le sent.

Il entend des chuchotements, des gloussements étouffés. Bizarre…

À cet instant, Dipper court au fond de la pièce. Il ouvre la porte en grand.

P'tit Mac, Happy et Gros Nez apparaissent.

– C'est vous ?

Les trois jeunes musiciens se mettent à parler en même temps :

– On s'était cachés dans le grenier.

– Une force invisible nous a poussés dans l'escalier !

– On a dégringolé les marches. *Ça* nous obligeait à sortir.

Léa éclate de rire :

– C'est la chanson de Tom qui vous a poussés ! On vous a pris pour le spectre. Il lui a dit de s'en aller. Et sa chanson était magique.

– L'air que tu as joué à la trompette était magique aussi. Tu y as mis beaucoup de sentiment, la félicite Dipper.

Il se tourne vers ses amis :

– Qu'est-ce que vous fabriquiez dans ce grenier, vous trois ?

– On voulait vous faire une farce, avoue P'tit Mac. On vous a enfermés à clé, et on est montés dans le grenier par l'échelle extérieure.

– On a cru que vous étiez partis à cause du fantôme, dit Léa.

– Pas du tout, proteste Happy.

– Bien sûr que non ! renchérit Gros Nez.

– On ne croit pas aux fantômes, nous ! affirme P'tit Mac.

À peine a-t-il dit ces mots qu'un courant d'air glacé les fait frissonner. La flamme de la lanterne vacille. Une clarté verdâtre éclaire l'ancienne forge, et une voix terrible tonne :

– QUI NE CROIT PAS AUX FANTÔMES, ICI ?

La voix semble sortir de partout et de nulle part.

– Aaaaaaaaaaaaaah ! crient les six compagnons en même temps.

Un rire féroce résonne entre les murs :

– HA, HA, HA, HA !

Des pas sonores ébranlent le plafond, font craquer les marches de l'escalier, dans la pièce du fond.

Les enfants restent pétrifiés.

Alors, dans l'encadrement de la porte, apparaît un pirate.

Son visage est à demi caché par le rebord de son chapeau. Il est vêtu d'une veste grise ornée d'une double rangée de boutons ; une écharpe rouge est nouée à sa taille et ses pantalons sont rentrés dans de hautes bottes noires.

Mais, détail effrayant, *on voit à travers lui* !

Tabedi boudou bam bam !

Un nouveau coup de tonnerre retentit. Le vent hurle. L'apparition s'avance... On dirait qu'elle flotte au-dessus du sol.

– C'est le fantôme de Jean Lafitte ! murmure Léa.

Le spectre pointe un long doigt osseux sur P'tit Mac :

– Ainsi, tu ne crois pas aux fantômes ? Pas même un peu ?

Les enfants, terrifiés, reculent pas à pas vers la porte. Arrivés là, ils secouent la poignée, poussent le battant. Il ne s'ouvre pas.

– Vous ne m'échapperez pas, bande de chiens malades ! vocifère le fantôme.

Il flotte jusqu'au centre de la pièce, s'arrête, mains sur les hanches, renverse la tête en arrière puis éclate de rire :

– Ha, ha, ha, ha ! Vous voilà pris comme des rats ! Enfermés ici pour toujours, avec NOUS !

Horrifié, Tom voit d'autres pirates traverser le mur et se masser derrière leur chef. Ils ont une boucle à l'oreille, un sabre ou un gros pistolet passé à leur ceinture. Certains ont un bandeau sur l'œil, d'autres une jambe de bois. Ils sont une dizaine, à présent, qui encerclent le petit groupe. Leurs rires énormes, cruels, résonnent dans la pièce obscure.

Tom se met soudain à chanter :

Tabedi boudou bam bam !
Talidou bidou pom pom !

Padadi dadou, dildil,
Fantômes, laissez-nous tranquilles !

– Tais-toi ! s'affole Léa. Tu vas les énerver !

– Joue ! rétorque son frère. Souffle dans la trompette, vite !

– Ça ne sert à rien ! On a utilisé sa magie. Ce n'est plus qu'un instrument ordinaire !

Dipper la lui prend des mains :

– Donne-la-moi !

Il pose l'embouchure contre ses lèvres, ferme les yeux. Une note s'élève, chaude et vibrante. Puis les doigts du jeune musicien se mettent à courir sur les pistons. Une musique entraînante emplit alors l'ancienne forge. Jean Lafitte ne rit plus du tout.

D'un signe, il ordonne à ses hommes de se taire. Tandis que Dipper joue, des sourires se dessinent peu à peu sur les rudes visages des pirates. Les sons joyeux de la trompette couvrent les sifflements du vent, au-dehors.

Léa attrape les pieds d'une chaise cassée et se met à taper en mesure sur un seau en bois. Tom l'imite aussitôt.

Dipper cesse un instant de jouer afin d'encourager ses amis :

– Allez-y, les gars ! Chantez ! C'est le moment !

– Mais… mais… qu'est-ce qu'on chante ? bégaye P'tit Mac.

– N'importe quoi ! Improvisez !

Dipper se remet à souffler dans la trompette. P'tit Mac commence :

J'ai la chair de poule,
Tu as les chocottes !

Happy continue :

Si t'as les chocottes,
Tu n'as qu'à sauter ! Hop ! Hop !

Gros Nez enchaîne :

Hop, papa ! Hop, mama !
Et hop, les gars,
Hey ! Hey !

Et tous les pirates entonnent en chœur :

– Et hop, les gars ! Hey, hey !

Dipper souffle dans sa trompette avec entrain, Tom et Léa frappent joyeusement sur les seaux, le trio reprend sa chanson à pleine voix.

– Ça, c'est de la musique ! s'écrie le spectre de Jean Lafitte.

– Hey, hey, hey ! approuvent les pirates.

La porte d'entrée s'ouvre alors toute seule. La troupe de fantômes franchit le seuil en sautillant gaiement. Dipper accompagne leur départ d'une longue note de trompette, Tom et Léa d'un roulement de tambour, les chanteurs d'un accord à trois voix.

Jean Lafitte est le dernier à sortir. Au moment de partir, il se retourne :

– Mon équipage et moi, on se souviendra de votre visite ! Revenez l'an prochain !

Le spectre les salue de la main.

Puis les pirates s'éloignent, toujours dansant, dans les rues sombres de La Nouvelle-Orléans.

9

La musique dans la peau

Dipper interrompt son air de trompette, les trois chanteurs se taisent, Tom et Léa abaissent leurs baguettes improvisées. Dans le silence revenu, les six compagnons s'approchent de la porte ouverte.

Dehors, la pluie a cessé, le vent s'est calmé. L'air frais sent le propre. Les étoiles clignotent au-dessus des toits.

– Quelle aventure ! soupire P'tit Mac.

– On a vraiment vu des fantômes ? s'interroge Gros Nez.

– Et si on avait rêvé ? suppose Happy.

– En tout cas, déclare Dipper, je ne remettrai jamais les pieds ici !

Tous éclatent de rire. Puis Happy demande :

– Dis donc, Dipper, on ne savait pas que tu jouais si bien ! Où as-tu appris ?

– À la maison de correction. En deux ans, j'ai eu le temps de m'exercer.

– Alors, enchaîne Gros Nez, viens avec nous ! Tu nous accompagneras pendant qu'on chantera. On est embauchés, cette nuit, sur un bateau !

– Sur un bateau ? s'exclament d'une seule voix Tom et Léa.

Ils échangent un regard : ils ont lu sur le livre que Louis Armstrong s'est fait connaître en se produisant à bord des bateaux qui naviguaient sur le Mississippi !

– Il faut absolument que tu y ailles, Dipper ! insiste Léa.

– Absolument ! renchérit son frère.

Leur compagnon hausse les épaules :

– Désolé, les amis ! Je veux me coucher de bonne heure. Je dois livrer du charbon très tôt demain matin.

– Ooooooh, non ! gémissent les enfants.

– Allez, ne vous inquiétez pas pour moi ! Tout ira bien !

– Bon, se résigne Gros Nez. À un de ces jours !

Les trois chanteurs les saluent de la main et ils s'éloignent.

Dipper les suit un moment des yeux. Puis il tend la trompette à la petite fille :

– Merci de me l'avoir prêtée. C'est un bel instrument.

– Tu ne veux pas la garder ?

– Non, j'en ai une chez moi. On me l'a donnée à la maison de correction. Je m'en servirai peut-être de nouveau, plus tard.

– Tu aurais dû suivre tes amis, dit Tom. Tu as un vrai talent de musicien.

– Oui, oui, je sais. Et je dois « l'offrir au monde », hein ?

Dipper secoue la tête comme pour chasser cette pensée. Puis un large sourire éclaire son visage :

– Hé ! On n'avait pas parlé d'un dessert ? Allons-y ! Après, je rentrerai chez moi.

Les trottoirs mouillés luisent à la lumière des réverbères. Le Quartier français a retrouvé son animation : les charrettes tirées par des mules roulent dans les flaques en éclaboussant les passants. Les serveurs installent de nouveau des tables et des chaises aux terrasses des restaurants, les orchestres se sont remis à jouer.

Quand Dipper et les enfants arrivent devant Jackson Square, un petit groupe de garçons interprète un gospel[1] que Tom reconnaît :

Oh, when the saints go marching in[2]*…*

Dipper conduit ses deux amis à l'arrière du River Café. Avec un clin d'œil, il leur explique :

– Le cuisinier est un copain. Attendez-moi là, je reviens dans une minute !

Tandis que Tom et Léa patientent à l'extérieur, les échos de la chanson parviennent jusqu'à eux :

Oh, when the saints go marching in…

Léa se déhanche en mesure :

– Teddy avait raison en disant qu'on aimerait cette ville. Je l'adore !

1. Chant religieux propre aux Noirs américains.
2. « Quand les saints marchent en procession… »

– Moi aussi. Mais comment va-t-on mener à bien notre mission, si on n'arrive pas à convaincre Dipper de jouer ?

– J'y pensais, justement. Il y a peut-être un moyen.

– Lequel ?

– Montrons-lui le livre !

Tom en reste sans voix :

– Tu… Tu crois que…

À cet instant, leur ami réapparaît, avec des beignets tout chauds dans une serviette :

– Venez, suivez-moi ! Vous allez bien vous régaler.

En lui emboîtant le pas, Tom réfléchit : peuvent-ils vraiment lui montrer le livre ? Un livre venu *du futur* ?

« Non, c'est trop fou… »

Il chuchote à sa sœur :

– Essayons d'abord de lui parler !

Léa acquiesce.

Arrivés au bord du fleuve, ils s'assoient sur un banc. Dipper leur tend un beignet à chacun :

– Attention de ne pas vous mettre du sucre partout !

Tom mord dans le gâteau tiède et doré. Du beurre, du sucre glace, de la vanille… Un vrai délice !

Plus personne ne dit mot. Leur pâtisserie avalée, ils lèchent leurs doigts collants avant de les essuyer sur leurs pantalons.

Leurs vêtements sont déjà mouillés par la pluie, imprégnés de poussière de charbon.

« Un peu de graisse et de sucre en plus, se dit Tom, ça ne se verra pas… »

Léa se lance alors :

– Donc, Dipper, tu sais que tu es doué pour la musique ?

Le jeune homme hoche la tête avec un petit sourire.

– En vérité, tu es génial ! ajoute Tom.

Cette fois, Dipper s'esclaffe :

– Et vous, vous savez ce que vous êtes ?

– Oui, oui ! On est fêlés !

– Complètement timbrés !

Quand ils ont bien ri, Dipper reprend :

– Non, je ne suis pas un génie. Je n'ai pas terminé l'école primaire. Je ne sais même pas lire une partition.

– Pourtant tu *aimes* jouer et chanter, non ? insiste Léa.

– Oh oui ! La musique, je l'ai dans la peau. Tout ce que j'ai jamais désiré, c'est souffler dans une trompette.

– Dans ce cas, pourquoi tu ne le fais pas ? demande Tom.

Le garçon se sent presque désespéré.

Mission pour Merlin ou pas, il désire plus que tout au monde persuader Dipper de ne pas laisser tomber la musique.

Léa enchaîne :

– Oui, pourquoi tu ne vas pas rejoindre tes amis sur le bateau ? Si tu ne dors pas cette nuit, ce n'est pas si grave !

Le jeune homme hésite un instant. Puis il raconte :

– Une nuit de Nouvel An, j'ai chahuté dans la rue avec d'autres garçons. J'avais douze ans, à l'époque. J'étais si excité que j'ai tiré un coup de pistolet en l'air. Je ne voulais blesser personne. Mais la police m'a arrêté. J'ai été envoyé dans une maison de correction. J'y suis resté deux ans. Il n'y a pas longtemps que j'en suis sorti. J'ai été très malheureux d'avoir dû abandonner ma famille. Maintenant, je fais de mon mieux pour l'aider, et je ne veux pas perdre mon travail.

– Les grands musiciens gagnent beaucoup d'argent ! argumente Tom.

– Certainement pas avec la musique que j'ai envie de jouer, soupire Dipper. Personne ne l'aimera.

– Oh, que si ! le contredit Léa.

Elle se tourne vers son frère :

– Je crois qu'il faut lui montrer le livre !

Tom hoche la tête. Sa sœur a raison.

Il fouille dans son sac et en sort l'*Histoire musicale de La Nouvelle-Orléans.*

10

Un beau rêve

Tom ajuste ses lunettes puis il ouvre le volume.

– Qu'est-ce que c'est ? demande Dipper.

– Un livre que Teddy et Kathleen nous ont donné, explique Léa.

– Ah, oui ! Nos deux bons amis !

Tom a trouvé le chapitre qu'il cherchait.

– Je vais te lire quelque chose, dit-il.

Il commence :

Le jazz a été créé à La Nouvelle-Orléans au début des années 1900...

– C'est un livre sur le jazz ? s'étonne Dipper.

– Attends, voilà le plus intéressant :

Adolescent, Louis Armstrong jouait avec un orchestre de jeunes, dans les rues de la ville.
Il s'est fait connaître en se produisant
à bord des bateaux qui naviguent
sur le Mississippi.
À vingt et un ans, il est parti à Chicago
pour entrer dans l'orchestre
de son vieil ami Joe Oliver.

Dipper n'en revient pas :

– Mais on parle de Joe, dans ce livre ? Et de moi ?

– Eh oui ! Écoute la suite :

Au fil des années, il deviendra un musicien connu dans le monde entier. Mais
La Nouvelle-Orléans sera toujours sa ville

préférée. On donnera son nom à un vaste parc, ainsi qu'à l'aéroport, qui s'appelle Aéroport International Louis-Armstrong.

– L'aéro… quoi ?

– L'endroit d'où les avions décollent et où ils atterrissent, explique Léa.

Dipper se met à rire :

– C'est une blague !

– Pas du tout, proteste Tom. Tiens, regarde ça !

Il lui présente la page où l'on voit un trompettiste dans la lumière d'un projecteur. Sous la photo, un texte indique : *Louis Armstrong, le Roi du Jazz.*

– C'est toi !

Tom s'attend à ce que leur ami s'esclaffe en disant que cet homme ne lui ressemble pas. À sa grande surprise, Dipper acquiesce gravement :

– Oui, oui, j'ai déjà vu cette image…

C'est au tour des enfants de rester bouche bée.

– Tu… tu l'as déjà vue ? bégaye Tom.

– Où ? Quand ? insiste Léa.

Dipper pose une main sur sa poitrine :

– Je l'ai vue dans mon cœur. C'est un rêve que je fais depuis longtemps. Je suis en train de rêver, hein ?

– On peut dire ça…, admet la fillette en souriant.

– Sauf que ton rêve est vrai ! précise son frère.

Léa ajoute :

– Garde cette image dans ton cœur, Dipper ! Un jour, tu vivras ton rêve, on te le promet.

Tous les trois, ils contemplent encore la photo un long moment en silence. Lorsque Dipper relève enfin la tête, des larmes brillent dans ses yeux.

Il les essuie d'un revers de main :

– Ma foi, je peux continuer mes petits boulots tout en laissant une place à la musique…

– C'est sûr ! approuve Léa.

– Si tu commençais par rejoindre tes amis sur le bateau ? suggère Tom.

– Oui... Oui, je devrais peut-être...

– Tu le dois absolument ! s'exclame Léa.

Dipper opine, l'air convaincu, et Tom referme le livre avec un gros soupir de soulagement.

Le jeune homme déclare alors :

– Seulement, vous devrez bientôt rentrer chez vous. Le soir d'Halloween, les enfants de moins de treize ans n'ont pas le droit d'être dans la rue après neuf heures. Sinon, la police les embarque.

– Donc, reprend Tom, te voilà prêt à faire profiter le monde entier de ton talent ?

– Je suppose, oui, répond Dipper en riant. Grâce à deux fêlés que j'ai rencontrés par hasard !

« Oh, ce n'était pas vraiment un hasard... », pense le garçon.

– Pour rentrer chez nous, dit Léa, on doit retourner à Bourbon Street et prendre le tramway jusqu'à Canal Street.

– Je vous accompagne à l'arrêt du tram, décide le musicien.

Ils longent Jackson Square, passent devant la cathédrale Saint-Louis.

– Si tu nous accompagnais jusqu'à Canal Street ? propose Léa. On aurait le temps de bavarder encore un peu dans le tram.

Dipper soupire :

– Voyons, c'est impossible !

– Pourquoi ?

– Parce que je devrais m'asseoir au fond, et vous à l'avant.

Tom fronce les sourcils :

– Comment ça ?

– Vous êtes blancs, et je suis noir.

– Quel est le problème ?

– Vous ne le savez pas ? Ici, les Noirs n'ont pas le droit de s'asseoir avec les Blancs dans les transports.

– C'est dingue !

Dipper les dévisage, perplexe :

– Mais d'où sortez-vous, tous les deux ? Et comment avez-vous eu ce livre bizarre avec une photo de moi dedans ? Une photo… du futur ?

Les enfants se consultent du regard.

Enfin, Tom commence :

– C'est difficile à expliquer. Léa et moi, on… voyage dans le temps. Tu peux me croire : un jour, les choses vont changer. Un jour, Blancs et Noirs voyageront ensemble dans les trams, les trains et les avions.

– Un jour, poursuit Léa, les États-Unis d'Amérique auront même un président à la peau noire. Parce que des millions de gens, de toutes les couleurs, auront voté pour lui.

Dipper se frotte les yeux :

– Là, c'est sûr, je suis en train de rêver. Mais c'est un très beau rêve…

– Un très beau rêve qui deviendra réalité, promet Léa.

Ils arrivent au coin de Bourbon Street.

– Voilà votre tram ! Je dois vous quitter ici, dit Dipper.

Léa se jette à son cou et l'embrasse sur la joue :

– Au revoir ! Va vite rejoindre tes amis, maintenant !

– Au revoir, dit Tom en lui serrant la main. Au revoir… Louis Armstrong !

Le tramway s'arrête. Les enfants grimpent dedans et s'assoient à l'avant. En regardant par la fenêtre, ils font de grand signes au jeune musicien qui court sur le trottoir, jusqu'à ce que le véhicule l'ait laissé derrière lui.

11

Tout est musique

Tandis que le tramway bringuebale le long de Canal Street, Tom jette un coup d'œil par-dessus son épaule. Dipper a dit vrai : au fond, il n'y a que des Noirs. Les sièges avant sont occupés par les Blancs. Lors de leur premier voyage, il n'avait pas remarqué ça.

Il en a le cœur serré.

« Refuser de s'asseoir à côté de quelqu'un à cause de sa couleur de peau, c'est vraiment idiot ! Comment peut-on imposer ça à un garçon comme Dipper,

si courageux, si amical ? Dipper, pour qui tout, dans la vie, est musique ? »

Tom écoute le cliquetis des roues sur les rails ; il tapote en rythme sur ses genoux pendant tout le trajet.

La rue n'a rien perdu de son animation. Les marchands ambulants parcourent les trottoirs à la lumière des réverbères.

Avant de descendre du tram, Tom demande au conducteur :

– Quelle heure est-il, s’il vous plaît ?

– Presque vingt et une heures, mon gars. Dépêchez-vous de rentrer !

Aussitôt, les enfants sautent du véhicule et s’élancent en courant.

Malgré l'obscurité, ils retrouvent facilement le palmier où pend l'échelle de corde. Ils grimpent dans la cabane.

Tom s'empare aussitôt de l'album sur le bois de Belleville, qui les ramènera chez eux. Mais sa sœur va regarder dehors :

– Oh ! Viens voir !

Sur le Mississippi, un bateau à vapeur passe en agitant l'eau de ses énormes roues. De la musique se déverse par les fenêtres éclairées.

Léa agrippe le bras de son frère :

– Écoute ! La chanson de P'tit Mac, Happy et Gros Nez !

Soudain, une note de trompette puissante s'élève dans la nuit et plane au-dessus de La Nouvelle-Orléans.

– C'est Dipper qui joue ! souffle Léa.

– Oui, c'est bien lui, il est monté sur le bateau ! Il est arrivé à temps !

Tom pousse un soupir de contentement. Il pose le doigt sur la couverture du livre et prononce la phrase habituelle :

– Nous souhaitons retourner chez nous !

Le vent se met à souffler, la cabane à tourner.

Elle tourne plus vite, de plus en plus vite.

Le vent hurle.

Puis tout s'arrête, tout se tait.

Les enfants sont de nouveau en bottes et en ciré. La pluie tambourine sur le toit

de la cabane. Un vent frais se faufile par la fenêtre.

– Dépêchons-nous de rentrer, avant que papa et maman soit réveillés, dit Léa.

Tom sort de son sac le livre sur La Nouvelle-Orléans. Il le pose sur le plancher. Sa sœur laisse la trompette à côté.

Ils descendent par l'échelle, rabattent leur capuchon et se mettent en route sous l'averse. Les feuilles mortes s'écrasent sous leurs bottes avec des bruits mouillés.

– Je me sens bien, dit Léa.

– Moi aussi. On a réussi notre mission.

Au bout de quelques pas, la petite fille ajoute :

– Mais que Dipper n'aie pas le droit de monter à l'avant du tram, ça me rend complètement folle !

– Moi aussi. C'est tellement injuste !

Les deux enfants marchent encore un peu sans rien dire.

Au bout de quelques pas, Léa reprend :

– J'ai eu peur, dans la vieille forge ! L'orage, la chauve-souris, les araignées…

– Les fantômes !

Ils rient. Enfin, Tom soupire :

– On ne reverra plus jamais Dipper. Ça me fait vraiment de la peine…

– À moi aussi, tu sais. Heureusement, on pourra écouter sa musique.

– Oui. Et, maintenant, grâce à lui, on entendra toujours de la musique autour de nous. Et on pensera à lui.

– *Scritch, scritch, scritch !* commence Léa en riant. C'est la chanson des bottes dans les feuilles mortes !

– *Plic, plic-ploc, plic !* enchaîne Tom. C'est l'air des gouttes qui clapotent sur ma capuche !

Et tous deux courent en fredonnant la musique du bois de Belleville un jour de pluie :

Scritch, scritch !
Plic, plic-ploc, plic !
Sroutch et scritch
et ploc et plic !

Fin

Si tu as envie de nous donner
tes impressions sur la série
ou de nous parler de **tes propres voyages**
réels ou imaginaires,
n'hésite pas à nous écrire !

N'oublie pas d'écrire
ton nom et ton adresse sur la lettre !